Aquí hay gato encerrado
(Viaje por la India)

Roser Noguera Mas

Vijaya Venkataraman

EDITORIAL EDINUMEN

GIROL SPANISH BOOKS
120 Somerset St. W.
Ottawa, ON K2P 0H8
Tel/Fax (613) 233-9044

© Editorial Edinumen
© Pedro Tena Tena, Roser Noguera Mas, Vijaya Venkataraman

ISBN: 84-95986-62-0
Depósito Legal: M-45101-2004
Impreso en España
Printed in Spain

Coordinación colección:
Pedro Tena Tena

Ilustraciones:
Miguel Alcón

Color ilustraciones:
Carlos Casado

Diseño y maquetación:
Juanjo López

Impresión:
Gráficas Glodami. Coslada (Madrid)

Fotomecánica:
Reprografía Sagasta. Madrid

Editorial Edinumen
Piamonte, 7. 28004 - Madrid
Tfs.: 91 308 51 42 - 91 319 85 37
Fax: 91 319 93 09
e-mail: edinumen@edinumen.es
www.edinumen.es

Aquí hay
gato encerrado

Este libro es de...

Nombre.....................................

Apellido(s) ....

Dirección ....

....

País ....

EDITORIAL EDINUMEN

Índice:

Áctividades:
antes de la lectura

1. El libro que tienes en las manos se titula **Aquí hay gato encerrado**. ¿Sabes qué significa esta expresión? Te damos tres posibles respuestas, pero sólo una es verdadera.

☐ **a.** Hay un gato encerrado en una jaula.

☐ **b.** Hay un niño en una biblioteca.

☐ **c.** Hay un misterio.

2. En la historia que vas a leer, los protagonistas hacen un viaje por la India. ¿Conoces este país? Lee las siguientes frases y marca verdadero o falso para descubrir cuánto sabes de ese fantástico y maravilloso lugar.

a La India es muy grande: tiene 3.287.263 kilómetros cuadrados, es cinco veces España.

☐ verdadero   ☐ falso

b En la India se hablan mil seiscientas lenguas; dieciocho de ellas son oficiales.

☐ verdadero   ☐ falso

c La India tiene unos mil millones de habitantes.

☐ verdadero   ☐ falso

d En la India hay muchas religiones: hay hindúes, budistas, musulmanes, cristianos, etc.

☐ verdadero   ☐ falso

e La India es el país que más películas produce en todo el mundo.

☐ verdadero   ☐ falso

3. Isabel y Luis son dos hermanos españoles que van a visitar la India por primera vez. Han preparado las maletas y sus bolsos. A ver si encuentras quince objetos que han metido en el equipaje:

A	B	S	A	N	D	A	L	I	A	S	A
C	D	E	D	F	G	H	I	J	K	T	L
M	N	O	L	P	Ñ	R	Q	S	E	D	A
N	I	Z	A	P	A	T	O	S	E	L	M
E	S	A	F	A	G	U	I	A	G	V	H
N	A	P	V	I	J	M	I	X	C	E	Y
W	P	A	N	T	A	L	O	N	E	S	Z
A	Y	T	S	C	R	L	I	A	P	T	E
X	P	I	J	A	M	A	E	B	I	I	B
A	L	L	A	O	T	B	D	F	L	D	A
D	A	L	I	S	R	E	G	A	L	O	L
C	U	A	D	E	R	N	O	T	O	S	P
L	A	S	B	O	L	I	G	R	A	F	O

Capítulo primero.
El extraño colgante

Ya estamos llegando. Mira, Isabel, ¡qué bonito!

— Sí, ¡cuántos edificios! He leído en la guía que Bombay[1] tiene catorce millones de habitantes.

— Entre tanta gente no encontraremos a Vasant. ¿Crees que vendrá a recibirnos?

— Sí, claro. Él siempre es tan organizado…

Isabel y Luis están a punto de aterrizar por primera vez en la India. En el aeropuerto de Bombay les espera su amigo Vasant. Lo conocieron en España, en la ciudad mediterránea de Alicante, hace cuatro años y se hicieron muy amigos.

Isabel es castaña, con ojos negros y piel canela. Tiene una nariz muy graciosa y lleva

---

[1] Bombay está al suroeste de la India. Es un centro de negocios importante.

gafas. Su hermano Luis no es tan guapo como ella, pero es atractivo: grandote y rubio; la gente lo confunde con un alemán. Isabel va a la escuela: está estudiando primero de la ESO[2]. Luis estudia Química, y Vasant fue su profesor en la Universidad de Alicante.

El avión llega puntual. Es el mes de marzo y hace muy buen tiempo. Todos están muy contentos del reencuentro. Han pasado tres años desde que Vasant, su mujer Indira y su hija Meghna volvieron a la India. Luis e Isabel han venido de vacaciones. Siempre ha sido su ilusión visitar la India. Además de tener buenos amigos, su abuelo Alberto vivió en este país en los años cuarenta.

– ¡Uf! Debéis de estar agotados después del viaje –dice Vasant, ayudando a Isabel con su bolso.

– ¡Para nada! Sólo tengo ganas de montar en elefante y aprender a encantar serpientes.

---

[2] Enseñanza Secundaria Obligatoria.

- ¡Luis, tú siempre tan bromista! Lo primero que voy a enseñarte es a saludar. Aquí no nos damos besos ni la mano como vosotros[3].

- Mi hermano tiene memoria de mosquito[4]. Meghna nos enseñó. ¿No te acuerdas? Mira, junta las palmas de las manos y agacha un poco la cabeza. Ahora di *namasté*.

- ¿Qué significa? –pregunta Luis, repitiendo el gesto.

- "Hola" y también "adiós" –contesta Isabel–. Oye, ¿qué tal está Meghna? Tengo muchas ganas de verla. La he echado de menos.

- Está en Madrás[5], con su madre, preparando la boda de una prima y esperándote ilusionada. Dice que tenéis

---

[3] En España, entre hombres y mujeres, es común un par de besos en las mejillas. En el trato profesional, se da la mano.
[4] Poca memoria. "Memoria de elefante" es lo contrario: "gran memoria".
[5] Madrás está al sureste de la India.

que hablar mucho porque si no,... se le va
a olvidar el español.

Isabel, Luis y Vasant salen del aeropuerto.
Un montón de taxistas se acercan ofreciéndoles
sus servicios. Un señor de mediana edad coge
las maletas de los dos hermanos y las mete en
su coche. Es un taxi negro y amarillo bastante
viejo. El hombre lleva ropa tradicional india de
color blanco⁶. Es bajo, de piel morena y con
una gran barriga. Tiene una cara simpática y
unos ojos muy brillantes. Les propone ir a uno
de los hoteles del paseo marítimo. Luis e Isabel
no entienden qué pasa y buscan a Vasant, que
está hablando con otros taxistas. Por fin, acude
en su ayuda y le explica al señor que ya tienen
un hotel reservado. Y suben a otro taxi.

– ¡Qué lío! Estaba totalmente confundida.
Creo que el señor no nos entendía. Además,
todo el rato me miraba de una forma
extraña –dice Isabel un poco molesta.

---

⁶ En la India muchos hombres llevan ropa "occidental". Las
mujeres suelen llevar ropa tradicional india, como el *sari*.

Llegan al hotel. Es un edificio moderno de cuatro plantas, con vistas al mar y un elegante jardín **estilo mogol**[7]. Isabel y Luis se van pronto a la habitación para acostarse. Vasant se relaja **un rato** en la terraza y oye los resultados de un **partido de críquet** por la radio. El cielo está totalmente despejado y se ven muchas estrellas. Corre la brisa del mar. Vasant piensa en el viaje que **van a hacer** y se siente muy feliz.

La mañana siguiente, Isabel baja sonriente a desayunar. **Ha dormido** muy bien. Lleva **un vestido indio**, que le **regaló** Meghna por su cumpleaños, y unas sandalias de cuero.

---

[7] Los mogoles son una dinastía de emperadores indios musulmanes.

También se ha puesto un *bindi* [8].

– Caramba, Isabel, ¡qué guapa estás! –exclama Vasant–. ¿Y ese colgante tan bonito?

– ¿Te gusta? Era de mi abuelo. Tiene una inscripción en hindi [9]. ¿No te lo enseñé en España?

– No me acuerdo, quizás se lo mostraste a Indira. A ver... dice "está debajo del *pipal*" [10].

– ¡Qué extraño! ¿Qué querrá decir?

– A lo mejor hay un tesoro enterrado y somos ricos. Je, je, je.

El camarero les trae la carta. Luis prueba algo típico del país: **tortas de trigo rellenas de patata,** acompañadas de **yogur** y un **té**. Vasant e Isabel prefieren un desayuno continental: tostadas con mermelada y mantequilla; y para beber, un café solo y un vaso de leche con azúcar.

---

[8] Es un punto que las mujeres se pintan en la frente, entre las cejas.

[9] Lengua oficial del norte de la India. En el país hay dieciocho lenguas oficiales.

[10] Árbol con hojas en forma de corazón.

– ¡Qué rico! –dice Luis, con la boca llena–.

– Me encanta este tipo de comida. Debo de llevarlo en la sangre; como nuestro abuelo vivió aquí tantos años...

– Como dice papá, a buen hambre no hay pan duro[11] –se ríe Isabel.

Después del desayuno, se dirigen a Bollywood, los estudios de cine más grandes de Asia.

– Oye, Vasant, ¿no me contratarán en una *masala movie*[12]?

– No es tan fácil. Primero, tendrás que aprender a bailar.

– ¡Guau! ¿Así? –pregunta Luis, moviendo las caderas.

– Por favor, Luis, siéntate –dice Isabel, poniéndose roja.

---

[11] Es un refrán que significa que cuando una persona tiene hambre, come cualquier cosa.
[12] Película comercial de la India.

Capítulo segundo.
La boda india

Hola, Meghna! ¡Cuánto tiempo sin vernos! –dice Isabel, abrazando a su amiga.

– Hola, *namasté* –dice Luis, saludando.

– Estás como siempre, Luis. Isabel, ¡cómo has crecido! –dice Indira, dándoles un par de besos–. Bueno, contadme qué tal.

Luis, Vasant e Isabel empiezan a hablar a la vez. Acaban de llegar a Madrás después de tres días de viaje y tienen muchas cosas que contar. Han visitado las cuevas de Ajanta y Ellora[13] y otros lugares de interés turístico.

– ¿Entonces, os ha gustado?

– Por supuesto, Indira... Pero no os vais a creer lo que nos pasó. En el aeropuerto de Bombay, un tipo muy insistente quería llevarnos a un hotel en su coche.

---

[13] Las cuevas de Ajanta y Ellora son ejemplos antiguos de la arquitectura budista.

No le hicimos caso. Después volví a verlo
en un restaurante camino de Ajanta. Lo
reconocí enseguida. Y cuando me
acerqué para preguntarle qué hacía allí,
vi que estaba hurgando en mi bolso.

– ¡Qué me dices! ¡Qué susto! ¿Y tú, qué
hiciste?

– Grité muy fuerte. Y él se fue corriendo.
La verdad es que estoy un poco
preocupada.

– Olvida eso, Isabel. Afortunadamente no
te pasó nada –acaba Indira.

A Isabel le gustan las películas policiacas. Le
fascinan las intrigas y, por eso, de mayor
quiere ser periodista. A Luis, sin embargo, no le
va este tipo de historias. Él prefiere las novelas
de ciencia ficción.

– Os está esperando toda la familia. Mañana
es la boda de mi prima. Mamá, tenemos
que ir a comprar un sari para Isabel –dice
Meghna, cambiando de tema.

– ¿Vas a ir a una fiesta de disfraces? –pregunta Luis, burlándose.

– ¡Qué bobo! ¿Estás celoso? ¿Es que tú también quieres ponerte uno? –contesta Isabel, enfadada.

Isabel y Luis se pelean frecuentemente pero, en el fondo, se llevan muy bien.

El día de la boda todo el mundo va muy elegante. Las mujeres llevan saris de seda y muchas joyas: pulseras de cristal y oro, collares, pendientes largos, anillos en las manos y los pies y, también, tobilleras con cascabeles. La novia va de rojo y lleva flores en la cabeza. Los novios se han pintado las manos y los pies con un tipo de tinte vegetal llamado *henna* y llevan guirnaldas de rosas. La ceremonia se celebra en un local grande y muy bien decorado con dibujos de colores y flores pintados en el suelo. Un grupo de músicos ameniza el acto. La música se oye de fondo mientras el sacerdote recita las oraciones. Huele muy bien porque han encendido varitas de incienso y los invitados se han perfumado con sándalo y agua de rosas.

– ¡Es tan diferente a una boda tradicional española! **El fuego, las oraciones, la música...** En la iglesia católica, por ejemplo, la novia va de blanco y el novio lleva traje y corbata o pajarita. La gente está en silencio y se sienta en los bancos. Aquí, en cambio, se habla, los niños están jugando y todo parece más informal –observa Isabel, muy sorprendida.

– Sí, tienes razón. Una vez vimos una boda en la catedral de Valencia. La gente tiraba arroz a los novios y cohetes a la salida de la iglesia –comenta Meghna–. ¿Sabes que **aquí también tiramos arroz a los novios para bendecirles?**

– ¡Qué curioso!

– Vasant es del norte de la India y allí las bodas se celebran por la noche –explica Indira–. La novia va con la cara tapada y el novio lleva **turbante** y va montado en un caballo acompañado de una banda de músicos.

- ¡Qué interesante! ¿Vosotros **os casasteis** así?
- No, la nuestra **fue** más sencilla, una **boda civil.**

Vasant e Indira **se conocieron** cuando **estudiaban** la carrera. Ahora los dos son profesores en la Universidad de Delhi. Vasant es alto, delgado y lleva bigote. Es muy ágil y hace mucho deporte. Le gusta ir a **escalar** y el **montañismo.** Indira no es ni alta ni baja. Le encanta cocinar y siempre prueba platos exóticos. Es muy aficionada a la lectura, y los **poetas románticos** ingleses son sus favoritos. Su hija Meghna tiene once años, como Isabel. Estudia en un colegio y forma parte del equipo de atletismo. Es muy delgada; se parece mucho a su padre.

Después de la ceremonia, hay un banquete para los invitados. **La comida se sirve en hojas de plataneros** y **se come con las manos.**

- ¡Qué difícil! Me estoy poniendo perdido –dice Luis, chupándose los dedos.
- A mí también me pasaba lo mismo en España. Cada vez que me invitaban a una fiesta formal, me ponía nervioso –responde Vasant–. ¿Nos vamos a un restaurante y pedimos otra cosa?

- Sí, lo que me apetece en este momento es una cerveza fría y unas tapas[14]: unas

---

[14] Aperitivo que la gente toma con una bebida (una cerveza, un refresco o un vino).

aceitunas, unos cacahuetes y unos calamares a la romana[15]. Ja, ja, ja.

– ¿Estás loco? Está todo riquísimo y muy sabroso. Yo no me muevo de aquí –dice Isabel, muy convencida.

– No, no,... Estoy muy a gusto aquí y la comida está rica; lo único es que he hecho un agujero en la hoja y se me escapa el caldo –dice Luis, intentando poner remedio a la situación.

De repente, Isabel se pone pálida y su cara cambia de expresión.

– Mirad, ¿no es aquél el tipo del aeropuerto que intentó robarme? –pregunta asustada.

– ¿Cómo va a estar aquí? –dicen Luis y Vasant, incrédulos.

---

[15] Calamares cubiertos con harina y huevo y, luego, fritos.

Capítulo tercero.
El festival de Holi

El viaje en tren a Delhi, la capital, dura dos días y resulta muy largo, pero permite ver el paisaje y los pueblos por donde pasan. Cuando llegan a la estación, les sorprende ver mucha gente y tanto tráfico. Cogen un autobús para ir a casa. A medio camino entre la estación y la casa de Vasant e Indira, ven el **Fuerte Rojo**, un monumento mogol llamado así por el color de su piedra, y la majestuosa **Jama Masjid**, la mezquita más grande de la India.

– ¿Luego vendremos a verlo? –preguntan Luis e Isabel.

– Sí, claro. A la tarde. Mañana es el festival de *Holi*[16], y todo está cerrado.

– ¿Festival de qué? –pregunta Isabel tomando nota en su cuaderno.

Isabel escribe todo lo que aprende y hace un diario de su viaje y muchas fotos.

– Apunta, apunta. Si les cuentas a tus amigas el viaje, no se lo van a creer. Yo les conté a las mías que había visto una corrida de toros y no se lo creían. Como aquí **las vacas son sagradas**...

La casa de Vasant e Indira está en el campus de la Universidad de Delhi. No es muy grande pero es cómoda. Tiene dos dormitorios, un salón, la cocina y dos cuartos de baño. **Cuando entran en la casa**, Indira, Vasant y Meghna **se quitan los zapatos** y **los dejan en la puerta.**

– Yo también me los voy a quitar –dice Isabel, desatándose los cordones de los zapatos.

---

[16] Festival del norte de la India, a principios de primavera.

– Sí, nos hemos acostumbrado a ir descalzos en los templos[17] –añade Luis, haciendo lo mismo.

Por la noche, Luis e Isabel le cuentan a Vasant y su familia que piensan ponerse en contacto con un conocido de su abuelo, el señor Rabi Kant Gupta, y les recuerdan la historia. El abuelo Alberto se fue a la India en 1940 con su mujer, Mary, una inglesa. Vivían en Shimla, una ciudad a las faldas del Himalaya. El abuelo se enamoró de una india, y su mujer, Mary, volvió a España en 1945 con su hijo, el padre de Luis e Isabel. Unos años más tarde, Mary recibió un sobre con un colgante y la dirección de R. K. Gupta, de Shimla. El colgante tenía una inscripción en hindi, y ahora suele llevarlo Isabel. La abuela ignoró todo ese tema. Sin embargo, el padre de Isabel escribió a R. K. Gupta para informarse sobre el pasado de su padre y el significado del colgante, pero no le respondió. Luis volvió a escribirle antes de venir, pero nadie le contestó.

---

[17] Para entrar en los templos hindúes y de otras religiones hay que descalzarse.

– ¡Qué aventurero era vuestro abuelo!
–dice Meghna–. Vino a un país lejano y
desconocido en busca de fortuna.

– Pues, no sé... Nuestra abuela sufrió
mucho. Cuando volvió a España, eran los
años de la posguerra[18] y tuvo grandes
problemas económicos. No quiso volver
a Inglaterra porque su familia nunca
aceptó la boda con el abuelo.

– ¡Pobre abuelita! –dice Isabel un poco triste.

– Mi padre siempre cuenta que era una
mujer muy valiente; pero él quería
conocer a su padre –continúa Luis.

– Venga, alegraos y llamad a ese Gupta
ahora mismo –les anima Vasant.

Luis busca el número en el listín telefónico
e Isabel marca. Alguien descuelga el auricular
y respira hondo, lentamente, y no habla. A
Isabel le molesta esta broma pesada. Cuando
vuelve a intentarlo, comunica. A los cinco
minutos suena el teléfono en casa de la pareja

---

[18] Años después de la Guerra Civil española (1936-1939).

india e Indira lo coge. Se escucha la voz grave de un hombre que dice "Go away", que en inglés significa "Marchaos". Indira cuelga enojada. Le parece de muy mal gusto.

– Odio a la gente que gasta bromas por teléfono –dice furiosa.

El día siguiente es la **fiesta de Holi**. La gente sale fuera de casa para jugar: se tiran polvos de colores y agua, y todo el mundo come dulces. Luis e Isabel juegan con los vecinos de sus amigos y se divierten muchísimo.

– ¡Qué bien me lo estoy pasando! –grita Luis, tirando un cubo de agua a sus amigos.

– Me recuerda al **Carnaval**[19], a las **Fallas**[20]; todo el mundo en la calle, disfrazado, bailando, bebiendo,... ¡Hay tanta alegría!

GO AWAY!!

[19] Fiesta donde la gente se disfraza y hay espectáculos en las calles. Los carnavales de Tenerife son muy famosos en España; y en Sudamérica, los de Río de Janeiro.

[20] Las Fallas son las fiestas de Valencia (España). La noche del 19 de marzo (San José) se queman figuras (fallas) de personajes populares y se tiran muchos cohetes.

Actividades:
con la lectura

1. Has leído en el tercer capítulo que Isabel escribe en su cuaderno todo lo que aprende.

Ahora haz una lista de las cosas que ya ha hecho Isabel y otra lista con las cosas que todavía no ha hecho. Puedes usar los verbos *montar, hacer, visitar, ver, llegar, asistir.*

Isabel ya .... Ya ....

Y ya ....

Isabel todavía no ...., ni

tampoco ....

2. Ahora mira el mapa y dibuja el itinerario con un **lápiz rojo**. Fíjate que, después de visitar estos lugares, Isabel y Luis **van a ir** a tres sitios más: Jaipur, Jaisalmer y Shimla.

Primero, Isabel y sus amigos .... a Jaipur, Jaisalmer y, a continuación, ... a un astrólogo muy famoso. Después, ... a Shimla, el pueblo donde vivía su abuelo.

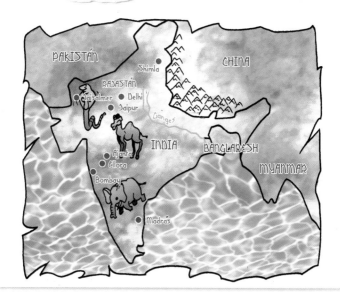

3. Indira y Vasant se conocieron en la universidad ¿Por qué no les preguntas a tus papás dónde se conocieron? Si lo escribes, se lo puedes enseñar a tu profesor.

Capítulo cuarto.
El astrólogo

Después de unos días en Delhi, los cinco amigos alquilan un coche para hacer un viaje por Rajastán, la región más turística de la India.

Cuando llegan a Jaisalmer, el lugar más al oeste, quedan fascinados por su belleza. Es una **ciudad amurallada** con **callejuelas** llenas de tiendas y templos. Está en **el desierto Thar**, cerca de la frontera con Pakistán. La luz por la mañana es muy intensa y la ardiente arena tiene un colorido amarillo y naranja excepcional. Aunque es temprano, hay mucha gente en la calle: las mujeres van a por agua con cántaros en la cabeza, los vendedores arreglan sus puestos en el mercado, algunos van al templo con flores y ofrendas en un plato.

Isabel y sus amigos salen a dar un paseo y a tomar un batido de frutas en alguna terraza.

– ¡Qué tranquilo es este pueblo! –comenta Isabel–. En Jaipur había tantos turistas y tanta gente vendiendo postales y recuerdos...

– Sí, era un poco agobiante, pero fue muy divertido subir al **fuerte de Amber en elefante**. ¡Era tan alto! ¡Y con esas patas enormes! Y el que conducía el elefante se parecía tanto al ladrón de Isabel... Me encantó esa experiencia –dice Luis.

En **Jaipur**, una de las ciudades que han conocido, unos chicos tomaron fotos del grupo montado en elefante. Cuando terminaron la visita, se las ofrecieron por cincuenta **rupias**, un euro o un dólar, más o menos. Ellos compraron un par como recuerdo. A Isabel le pareció que el conductor del elefante era el mismo señor del aeropuerto, la misma persona que había intentado robarle en Ajanta,... Isabel cree que ese hombre les persigue. Luis, en cambio, opina que su hermana tiene mucha imaginación, por eso le toma el pelo[21]. Además, él piensa que todos los indios son parecidos: morenos, delgados y con bigote.

– A mí este pueblo me parece una maravilla –comenta Isabel, sin hacer caso a la broma de Luis.

– Por cierto, ¿cuándo vamos a ver al astrólogo?

Isabel leyó en una revista un reportaje sobre un astrólogo de mucho renombre que vive aquí y quiere ir a verlo. Luis opina que es una tontería gastar dinero para saber el futuro. Vasant e Indira tampoco creen en estas cosas pero le han prometido a Isabel que irán todos juntos.

El astrólogo vive en una casa muy antigua. Las puertas y ventanas, pintadas de azul, contrastan

---

[21] Tomar el pelo a alguien es burlarse de alguien.

con el blanco de las paredes. En la entrada hay un dibujo de *Ganesh*, el dios con cabeza de elefante. En la habitación donde recibe a sus clientes hay muchos cojines en el suelo y libros viejos con mucho polvo. No hay mucha luz y el ruido del ventilador rompe el silencio de la casa.

Isabel le saluda con respeto y se sienta frente a él. Es un señor de unos cincuenta años. Tiene una barba muy larga y bastante descuidada. Mide más de metro y medio y es bastante gordito. Lleva unas gafas oscuras que le dan un aspecto misterioso. El astrólogo mira a Isabel fijamente y le coge la mano. Después de unos minutos, le hace algunas preguntas, pero Isabel no le entiende. Vasant traduce e Isabel contesta lentamente. Después de una pausa larga, el astrólogo vuelve a hablar. Vasant se siente algo desconcertado.

– Bueno, Isabel. No sé si debo traducirte esto. No es muy positivo.

– Cuéntamelo, por favor, quiero saberlo todo.

– Si tú lo dices... Asegura que tu vida está en peligro, te pasará algo muy grave, por eso tienes que salir del país inmediatamente. También dice que la piedra que llevas en el colgante te dará mala suerte.

– ¿Y qué me aconseja?

– Quítatelo y dáselo. A cambio te dará una piedra con buena energía.

– ¡Ni hablar! ¡Imposible! Es un recuerdo de mi abuelo y no pienso quitármelo jamás.

– Vámonos de aquí. Este hombre no me inspira ninguna confianza –dice Luis con insistencia.

Los cinco salen de la casa. Isabel anda muy despacio porque está pensativa. Luis intenta gastarle alguna broma para animarla.

– Me da la sensación de que he visto a

este hombre antes –dice Isabel, tratando de recordar.

– Sí, mujer, en vidas anteriores –se burla Luis.

– **Ríete**, **ríete**, Luis, pero esto puede ser muy serio.

– **Vamos a volver** al hotel. Isabel, **no tienes que darle más vueltas al asunto**. Es mejor no seguir pensando en eso.

Es de noche y **han bajado** a cenar. Mientras esperan, Luis lee las últimas páginas de una novela y Vasant hojea el periódico. Indira, Isabel y Meghna se han levantado de la mesa y están regateando²² en una tienda de artesanía enfrente del restaurante.

– ¡Caramba! ¡No puedo creerlo! Ven aquí, Luis, rápido, rápido.

Vasant lee en voz alta el titular de una noticia del día:

"El famoso astrólogo don Vikram Singh Shekhawat se encuentra en Nueva York asistiendo como invitado especial al Congreso Internacional de Astrología".

– Entonces, el tipo de esta tarde... ¿quién era? –dice Luis nervioso–. Llamaremos a la Policía ahora mismo.

– Espera, tranquilízate. Vamos a pensar con calma.

En ese momento aparecen Indira y las niñas.

---

²² Discutir con un dependiente hasta acordar un precio.

– Malas noticias, chicas. El astrólogo no era... astró, astró, astrólogo –dice Luis, tartamudeando.

Vasant les cuenta lo que acaba de leer y a las tres les cambia la expresión de la cara.

– Entonces, era un impostor. Aquí hay gato encerrado[23] –reacciona Isabel, alterada–. Estoy segura de que tiene algo que ver con mi abuelo. ¿No os acordáis de aquella llamada en Delhi? Era una amenaza, igual que hoy.

– Pero, Isabel, no puede ser. Además, ¿quién sabía que íbamos a ver al astrólogo?

Isabel se ha calmado y su mente actúa con rapidez.

– Ese hombre que nos ha seguido en el viaje será el culpable de todo esto. Puede habernos oído en el elefante o aquí, en Jaisalmer.

[23] Es una expresión que significa que las cosas no están claras o que hay algún misterio.

– No sé si habrá relación entre ese hombre misterioso, la llamada, el astrólogo y vuestro abuelo. Propongo un plan: vamos a Shimla para averiguarlo –concluye Vasant.

– Yo creo que deberíamos tener cuidado. Si ese tipo es capaz de disfrazarse de un hombre tan conocido como el astrólogo y amenazarte, puede ser muy arriesgado –advierte Indira.

– De astrólogo o de conductor de taxi o elefantes –Isabel persiste con su idea–. Os reíais tanto de mí...

– ¿Quién me diría que iba a protagonizar una película de policías y ladrones en la India?

Luis siempre busca el humor en todo.

– Bueno, bueno, actores, a ver si vuestra película tiene un final feliz –dice Vasant en tono conciliador.

Capítulo quinto.
La clave del misterio

Shimla es una ciudad tranquila y con un clima bastante agradable. Antiguamente era la capital de verano de los británicos[24] y un sitio muy popular entre los extranjeros. Algunos iban a veranear y otros eran residentes todo el año. Vasant conoce la zona porque a menudo va con sus amigos para escalar y hacer senderismo.

– Es un paisaje maravilloso, todo tan verde...

– Yo no estoy disfrutando. No me quito de la cabeza[25] el asunto del abuelo –dice Isabel, mirando por la ventanilla–. Quizás R. K. Gupta ya no vive en la dirección que tenemos.

Indira quiere distraer a Isabel. Le habla de Kipling, el autor de *El libro de la selva*, y otros

---

[24] Durante el verano en Delhi, la gran capital, hacía (y hace) mucho calor.

[25] Pensar constantemente en algo.

escritores que vivieron allí. En general, los británicos de aquella época no se relacionaron con la gente del país, pero en Shimla y en otros lugares surgieron algunas comunidades angloindias.

Dejan el equipaje en el hotel y van a la dirección que tienen apuntada Isabel y Luis. Es una casa grande en el paseo principal, a unos cincuenta metros de la estatua de Gandhi[26]. Está totalmente abandonada y en ruinas. Isabel empieza a llorar cuando la ve.

– ¡Qué horror! ¿Ahora qué hacemos?

– Tranquilízate, Isabel. Vamos a preguntar por aquí –dice Indira, consolándola.

Un vecino curioso que sale al escuchar voces les da una pista. Un tío suyo era el cartero del pueblo en aquellos tiempos y podría

---

[26] Mahatma Gandhi es el "Padre de la Nación". Actuó de forma pacífica para conseguir la independencia de la India (1947).

conocer a la gente que vivía en la casa. Les da su dirección y los cuatro van en su búsqueda.

El cartero es un ancianito muy simpático y está encantado con la visita de los forasteros. Les invita a un té y les cuenta historias de la época. Pierde el hilo del argumento pasando de una historia a otra y no les da ninguna oportunidad de hacer preguntas.

– ¡Ah, sí! Vosotros buscáis a Ravi Kant Gupta. Su familia conocía a un extranjero, Alberto, que vivió muchos años aquí. Es una familia importante en el pueblo. La madre de Ravi Kant, Bimla, participó en el movimiento por la independencia india. Del padre no se sabe nada. Se comenta en el pueblo que era un revolucionario. Ravi Kant murió bastante joven, en el 85 ó… en el 87. Podéis hablar con su hijo, Sunil, que vive en un piso en la calle Hamilton. Se mudó de la casa vieja después de la muerte de su padre.

Isabel y Luis no quieren oír más y tienen mucha prisa para seguir investigando. Cuando salen de la casa del cartero, un hombre tapado con una bufanda se lanza sobre el cuello de Isabel para robarle el colgante. Por suerte, Vasant reacciona rápidamente y consigue tirarle al suelo. Isabel está muy alterada y grita pidiendo ayuda.

– ¡Es él, es él! El mismo de siempre,...el del aeropuerto, el del intento de robo, la boda y el elefante. Y vosotros me tomabais por una loca.

– ¡Tranquila, Isabel! –Luis abraza a su hermana y trata de calmarla.

Vasant corre detrás del hombre mientras Luis, Indira, Meghna e Isabel esperan, nerviosas. El hombre se escapa y Vasant vuelve con sus amigos.

– ¡Isabel, enséñame otra vez tu colgante! El hombre llevaba uno igual.

– Entonces,... ¿para qué quiere el suyo? –pregunta Meghna.

– No sé, pero ahí estará la clave del misterio.

Capítulo sexto.
El tesoro

Isabel se recupera pronto y van a la dirección que les ha dado el cartero. Son las nueve de la noche. Hace bastante fresco porque está lloviendo.

Llegan a la calle Hamilton en taxi y suben las escaleras del número 45. En una de las puertas del tercero ven un cartel que dice: "Dr. Sunil Gupta. Homeópata". Llaman al timbre. Están muy impacientes, nadie habla y todos se preguntan cómo acabará esta historia.

Al momento sale Sunil con su bata blanca. Es un hombre de unos treinta años, bastante guapo y fuerte.

– ¿Qué desean? –pregunta el médico.

– Me llamo Vasant y éstas son mi mujer y mi hija. Ellos son unos amigos españoles, Luis e Isabel. Estamos aquí para investigar la vida de su abuelo.

Vasant resume la historia del abuelo de Luis e Isabel. Al escuchar el nombre de Alberto, Sunil se inquieta un poco.

– ¿Alberto? Sí, mi padre hablaba de él. Era amigo de mi abuela. Alberto tuvo que dejar el país por razones políticas que no conozco bien. Fue en el 48, un año después de la independencia de la India. Los del pueblo pensaban que él era inglés porque su mujer era inglesa.

– Sí, ella era Mary, la abuela de Luis e Isabel. ¿Sabes qué ocurrió después?

– No exactamente. Decían en el pueblo que murió cuando huía hacia Afganistán, pero mi abuela siempre tuvo esperanzas de volver a verlo.

– Perdona, Sunil, ¿reconoces este colgante? Un señor misterioso nos ha seguido todo el viaje y ha intentado robárselo a Isabel varias veces –dice Indira.

– A ver.

Sunil lee la inscripción atentamente y, después de unos minutos, los mira con sorpresa y aclara el misterio... ¡la solución del misterio!

– Mi abuela tenía uno igual. Se lo regaló Alberto. Desapareció de la casa antigua. Ella sospechaba que uno de sus empleados lo había robado pero era difícil probarlo. La inscripción de su colgante decía "el tesoro".

– ¿Cómo era ese empleado? ¿Lo conociste?

– Sí, claro. Toda la vida estuvo con nosotros. Todavía vive en la casa antigua. Tiene un huerto de manzanas y lo cuida. Se llama Ram Kumar.

Isabel saca una de las fotos del fuerte de Amber y se la enseña a Sunil.

- ¡Es él! ¡Es Ram Kumar! ¡Es Ram Kumar! –exclama Sunil.

- ¡Ya lo tengo! –dice Luis–. Ese hombre debió romper las cartas que mi padre y yo os enviamos. ¡Qué malvado!

- ¿Qué cartas?

- Como te decía antes, el abuelo le mandó ese colgante y vuestra dirección a nuestra

abuela antes de marcharse de aquí. Ella no quería saber nada, pero mi padre quiso ponerse en contacto con vosotros.

Nosotros también os escribimos una carta antes de venir, explicando nuestros planes de viaje. ¿No la recibisteis?

– No. Quizás se perdió en el correo.

– No, Sunil, ¿no lo entiendes? –dice Isabel–. Se trata de un tesoro y por eso Ram Kumar buscaba mi colgante tan desesperado. Leyó la carta y sabía todos nuestros planes. Además, ha hecho todo lo posible para impedir esta reunión.

– Ahora sólo falta encontrar el tesoro debajo del pipal. Ja, ja, ja. –dice Luis, frotándose las manos.

Sunil le mira con cara extraña. Todavía no conoce a Luis, que siempre está de bromas.

Capítulo séptimo.
Una gran familia

Isabel y sus amigos están ansiosos por descubrir el tesoro. Sunil piensa que es mejor esperar hasta el día siguiente. Hace mal tiempo y es muy tarde.

A la mañana siguiente todo el grupo se dirige a la casa vieja de los Gupta. Han traído varias herramientas para excavar debajo del pipal. Pronto encuentran algo duro y están muy emocionados.

– Es una caja de hierro. Ahora la saco –dice Sunil, haciendo fuerza con los brazos.

La caja tiene un pequeño candado que se rompe fácilmente. La abren y encuentran unos sobres grandes con cartas y fotos. También hay un anillo y una bolsa con monedas de oro. A Isabel le tiemblan las manos. Luis abre uno de los sobres y lee en voz alta la carta dirigida a su padre, Marcos Rodríguez Sheldon, y a Ravi Kant Gupta, el padre de Sunil.

"Queridos hijos: No sé en qué condiciones leeréis esta carta y no sé si os volveré a ver alguna vez. Tengo que abandonar la India porque mi vida corre peligro. Os dejo estos pequeños recuerdos. Siempre os he querido mucho a los dos. Para ti, Marcos, el anillo de mi padre. Para ti, Ravi Kant, las monedas de oro. No sé si me habrá perdonado Mary. Para ella, las fotos de cuando nos conocimos en Inglaterra y todo mi cariño. Para Bimla, las cartas que recibí del presidente Nehru y todo mi amor. A Ram Kumar le dejo el zafiro por haberos ayudado a encontrar esto. Él sabe toda mi historia. Un abrazo, Alberto.

Shimla, a 25 de abril de 1948.

– **O sea que** sois primos. **¡Ufff! No lo puedo creer dice Vasant.**

– **¿**Alberto**? ¿Alberto,... mi** abuelo**! –dice Sunil conmovido–. ¡Nunca lo** sospecha-mos**! ¡Cómo** pudo **estar callada tantos años mi abuela!** Lloraba desconsolada **cuando** Alberto se fue**, pero jamás nos lo** imaginamos**.**

Nadie sale de su asombro ni sabe cómo comportarse con la familia recién descubierta. La carta del abuelo es muy sentimental y los deja a todos conmocionados y tristes. Luis e Isabel piensan en su abuela y se preguntan cómo tomará su padre la noticia en España.

A la semana regresan a Delhi y se preparan para volver a Alicante.

– Ha sido un viaje emocionante. Nos lo hemos pasado estupendamente –dice Luis, dándole dos besos a Indira.

– Muchas gracias por todo. Y a ver cuándo nos vemos otra vez.

– Bueno, volveréis pronto. Vuestro padre querrá conocer a Sunil. Es una familia encantadora.

– Sí, menos mal que no nos ha tocado un primo plasta[27]. Je, je, je.

– Luis, ¡por favor! Hasta pronto, amigos. Gracias por todo.

---

[27] Persona insoportable, pesada.

Actividades:
después de la lectura

1.

En el texto salen algunas expresiones. A ver si te acuerdas qué significan. Relaciona:

Pierde el hilo. •

Es un plasta. •

La clave del misterio. •

Lo lleva en la sangre. •

Le toma el pelo. •

Se ha puesto perdido. •

Le da vueltas a un asunto. •

Tiene memoria de mosquito. •

No se lo quita de la cabeza. •

• No tiene memoria.

• Se burla de alguien.

• No deja de pensar en algo.

• La solución.

• Es muy pesado.

• No se acuerda de qué está hablando.

• Se ha manchado.

• Forma parte de su personalidad.

2. ¿Sabes qué es el contrario de tener memoria de mosquito? Tener memoria de...

☐ **a.** león.

☐ **b.** elefante.

☐ **c.** jirafa.

¿Y tú? ¿Tienes memoria de .... o de mosquito?

¿Por qué no lo demuestras terminando esta frase?:

"A buen hambre ...."

3. ● Isabel ha escrito una carta a su primo asturiano, pero el bolígrafo no va muy bien y algunas palabras no se leen. ¿Por qué no la completas?

abuelo • colgante • decía • disfrazó • robarme/quitarme
he conocido/ he descubierto • he escrito • he hecho • se llama
he montado/he viajado • he puesto/he vestido con • hijos
hombre/señor/empleado • tanto • tesoro

¡Hola, primo!:

Por fin te escribo. Tengo .... que contarte que no sé si me acordaré: me .... un sari, ... en elefante ... Menos mal que .... un diario y .... muchas fotos. Ya me conoces.

Lo mejor ha sido que .... un primo en Shimla. Es médico, muy simpático y .... Sunil.

Resulta que mi .... Alberto tuvo dos ....: mi padre y el padre de Sunil, que ha muerto. Y nosotros sin saberlo. Todo se ha descubierto gracias a mí.

¿Te acuerdas del .... que me regaló papá? Pues era la mitad de otro que tenía Sunil y que .... que había un .... enterrado debajo de un árbol. El tesoro no era mucho, pero un .... que trabajaba en la casa de mi abuelo pensaba que sí y nos ha perseguido todo el viaje por la India para .... el colgante . ¡Qué malvado!

No es por nada, pero fui la única que sospeché de él desde el primer momento: se .... de astrólogo, de taxista, de conductor de elefantes... Es increíble. Ya te pondré al día.

Un abrazo de tu prima,

Isabel-bel-bel.

Aquí hay gato encerrado.
Solucionario

Actividades:
antes de la lectura

1. Aquí hay gato encerrado significa que hay algo que
no está claro, que hay un misterio.

2. (Todas las frases son verdaderas).

3. SANDALIAS • ZAPATOS • GAFAS • PANTALONES
PIJAMA • TOALLA • REGALO • **CUADERNO** • **BOLÍGRAFO**
ZAPATILLAS • **FALDA** • CEPILLO • VESTIDOS •
CAMISETA • GUíA

A	B	S	A	N	D	A	L	I	A	S	A
C	D	E	D	F	G	H	I	J	K	T	L
M	N	O	L	P	Ñ	R	Q	S	E	D	A
N	I	Z	A	P	A	T	O	S	E	L	M
E	S	A	F	A	G	U	I	A	G	V	H
N	A	P	V	I	J	M	I	X	C	E	Y
W	P	A	N	T	A	L	O	N	E	S	Z
A	Y	T	S	C	R	L	I	A	P	T	E
X	P	I	J	A	M	A	E	B	I	I	B
A	L	L	A	O	T	B	D	F	L	D	A
D	A	L	I	S	R	E	G	A	L	O	L
C	U	A	D	E	R	N	O	T	O	S	P
L	A	S	B	O	L	I	G	R	A	F	O

Actividades:

con la lectura

1.

Isabel ya ha visto/ha visitado los estudios de cine en Bombay. Ya ha hecho las fotos de las cuevas de Ajanta y Ellora para su madre. Ya ha asistido a la boda de la prima de Megna. Y ya ha llegado en tren a Delhi.

Isabel todavía no ha montado en elefante, ni tampoco ha visto/visitado al astrólogo.

2.

Primero, Isabel y sus amigos van a ir a Jaipur, Jaisalmer y, a continuación, van a visitar a un astrólogo muy famoso. Después, van a ir a Shimla, el pueblo donde vivía su abuelo.

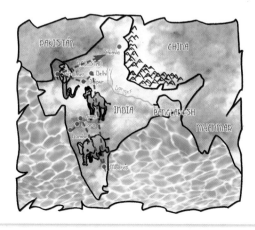

Actividades:
después de la lectura

1. **Pierde el hilo.** ➡ No se acuerda de qué está hablando.

Es un plasta. ➡ Es muy pesado.

La clave del misterio. ➡ La solución.

Lo lleva en la sangre. ➡ Forma parte de su personalidad.

Le toma el pelo. ➡ Se burla de alguien.

Se ha puesto perdido. ➡ Se ha manchado.

Le da vueltas a un asunto/no se lo quita de la cabeza. ➡ No deja de pensar en algo.

Tiene memoria de mosquito. ➡ No tiene memoria.

2. **Tener memoria de** elefante. **/ A buen hambre** no hay pan duro.

3. **Carta de Isabel:** tanto, he puesto/he vestido con, he montado/he viajado, he escrito, he hecho, he conocido/descubierto, se llama, abuelo, hijos, colgante, decía, tesoro, hombre/señor/empleado, robarme/quitarme, disfrazó.